U0066379

# 我不喜歡！停

## 阿光小芸日常的嘰哩呱啦 ❹

喝水吃點心囉！

我要抱抱！
我不喜歡你
摸我的乳房
我要摸！
我要摸！

在家可以,為什麼
這裡不行？
我就是要摸！
不行嗎？我好想
媽媽抱抱。

我不喜歡，你
就要停下來。
媽媽壞壞。
媽媽，我要
回家了。
可是我覺得
好好玩。
我要把壞媽媽
變不見！
算了，我要去
玩別的。
媽媽不喜歡，
媽媽生氣了。

謝謝妳在媽媽說
不喜歡的時候妳
就停下來。
在公園媽媽兇兇。

真的耶，媽媽兇兇。
我猜妳不知道
為什麼不可以？
恩。

就像媽媽抱妳時，
妳說我不要，
不要。
停下來
媽媽就停下來，
還記得嗎？

我要猴子爬樹，
抱抱！
爸爸，我跟你說喔，
今天在學校...

小琦追著阿凱
脫他褲子，
阿凱說不喜歡，
但小琦都沒停下來
如果你是阿凱，你
可以做什麼呢？

我會變成恐龍！停……
走開啦！
來追我啊！
你弄不到我！
你很幼稚耶。
我刺你喔！
你脫不了！

如果小琦還是
沒有停呢？
我不喜歡
妳追我。
找老師。
找好朋友幫忙！

我不喜歡
妳脫我褲子。
妳再這樣
我要生氣囉！
我跟妳換褲子。
那我們玩別的。
我會變成更大隻的恐龍！
吼—
這是你想到的
方法，可以試試。

爸爸，今天小琦追著
我要脫我褲子，
可是她不怕我
變成恐龍耶，
我有說我不喜歡！
停……
不喜歡！停 不喜歡！停 不喜歡！停

我就把她褲子
脫下來！
那你是什麼感覺呢？怎麼
會想到要去脫她褲子？
因為我很生氣！
然後呢？

小琦後來就哭了。

我沒要跟她和好。

你看吧！

她為什麼
要哭？

是她先弄我的耶！

我慘了。

喔喔…

給妳一張
衛生紙啦！

TISSUE
PAPER

你很生氣，
脫了她褲子。
你看到小琪哭，
你有什麼感覺呢？
我看到你被小琪
弄得很煩，
都沒辦法停止，
不知道怎麼辦，
就去拉她褲子，
你是討厭她，
還是討厭她這樣做？

我討厭她這樣弄我。
你討厭她這樣弄你，
但是，你也不想讓她難過。

我想想。

今天幼兒園老師
有教我們保護自己
的方法！
老師教你們
什麼呢？

有什麼事情一定
要跟爸爸媽媽說？

如果有人要帶
你去別的地方，
都要經過爸爸
媽媽同意。

任何你覺得怪怪
的感覺，都要跟
爸爸媽媽討論。

別人要碰觸你
的身體，要經過
你的同意。

任何你不確定
的事情，你都
可以去問爸爸
媽媽。

別人說不能說
的，都要跟爸爸
媽媽說。

想想看，
還有什麼呢？

如果有人摸
我們的身體，
叫我們不可以
跟大人說，
噓…

一定要讓爸爸
媽媽知道。
身體大拼圖
你的身體哪裡
允許別人碰觸
哪裡不行呢？

你身體哪裡可以
被碰觸放綠色的。
不要拉我的
尾巴！
不要綁我頭髮！

哪個部位不可以
被碰觸放紅色的。
你摸摸看會
不會刺。
你敢摸我嗎？
你摸不到我！
我搖搖尾巴，
跟你打招呼就好。

荷光幼兒性教育繪本／阿光小芸日常的嘰哩呱啦❹

**我不喜歡！停**

總策畫：呂嘉惠
作者：王嘉琪、陳姿曄、楊舒聿（依筆劃順序排列）
繪圖：享畫有限公司
美術編輯：邵信成
文字編輯：林沛辰、陳美如

發行人：呂嘉惠
出版者：荷光性諮商專業訓練中心
電話：02-2918-1060
地址：新北市新店區中華路60巷2弄3號3樓
荷光官網：http://www.beone.tw/
出版日期：2022年2月／初版二刷／2000套
印刷：上海印刷廠股份有限公司／02-22697921~3
ISBN：978-986-99512-4-1（精裝）
定價：390元（全套定價：1950元）

Printed in Taiwan